COLLECTION
FICHEBOOK

GUY DE MAUPASSANT

Bel-Ami

Fiche de lecture

Les Éditions du Cénacle

© Les Éditions du Cénacle, 2020.

1 rue Honoré - 93500 Pantin.

ISBN 978-2-36788-845-3

Dépôt légal: Juin 2020

Impression Books on Demand GmbH

In de Tarpen 42

22848 Norderstedt, Allemagne

SOMMAIRE

BIOGRAPHIE

GUY DE MAUPASSANT

Guy de Maupassant est né le 5 août 1850 en Haute-Normandie, sans qu'on sache encore si ce fut à Fécamp, au Bout-Menteux, ou au château de Miromesnil à Tourville-sur-Arque, ou enfin à Sotteville, près d'Yvetot. Ses parents étaient venus en Normandie peu avant sa naissance. Sa mère connaissait Gustave Flaubert, de Rouen, dont Maupassant fut ensuite le disciple. Guy de Maupassant avait un frère plus jeune que lui de 6 ans, et qui, comme lui, fut élevé par leur mère. Séparée de leur père, celle-ci les fit instruire de façon poussée, puisqu'elle était elle-même particulièrement cultivée. Leur mère s'installe donc avec ses deux fils à Étretat ; Guy aime à fréquenter les paysans et les pêcheurs, à vivre une vie de plein air et de discussions en patois. Après l'internat de Fécamp, d'où il est renvoyé, il fréquente le lycée de Rouen et se lie d'amitié avec le dramaturge Louis Bouilhet, qui est un grand ami de Gustave Flaubert. Après avoir obtenu son baccalauréat en 1868, il part faire son droit à Paris. Mais dès 1870, il s'enrôle pour combattre pendant la guerre contre la Prusse. Il assiste alors, impuissant, à la retraite des soldats en Normandie ; il s'en inspira par la suite pour écrire ses nouvelles.

Il finit par s'installer définitivement à Paris, une fois la guerre terminée. Il travaille alors dans les Ministères, tout en travaillant, le soir, à ses récits.

Cependant, il apprend en 1877 qu'il est atteint de syphilis. En effet, pendant dix ans, Maupassant a passé son temps auprès des femmes, en bord de Seine, ou dans les théâtres, profitant pleinement de la vie parisienne. C'est alors qu'il profite des conseils de Flaubert, qui le fait entrer dans son cercle d'amis. Maupassant rencontre ainsi Émile Zola, de dix ans son aîné, qui a mis en place le naturalisme et qui est tantôt honni, tantôt loué par la presse et les critiques. Il fait aussi la connaissance d'Ivan Tourgueniev, romancier russe qui rencontre un vif succès. Il se fait journaliste pour *Le Figaro*, *Gil*

Blas, *Le Gaulois* et *L'Écho de Paris*. À partir de 1880, c'est une décennie féconde pour Maupassant : il publie cette année-là sa nouvelle *Boule de Suif*, qu'il a lue à ses amis des Soirées de Médan, réunis autour de Zola. Flaubert, son maître, meurt peu après, mais le succès de *Boule de Suif* permet à Maupassant, pendant les dix années qui suivent, de travailler moins pour écrire plus. En 1881, il publie son premier recueil de nouvelles, *La Maison Tellier*, qui obtient un vif succès. En 1883, Maupassant publie *Une vie*, son premier roman, sur lequel il travaillait depuis 1877 : vingt-cinq mille exemplaires s'écoulent en un an. Grâce à cette réussite, Maupassant peut s'acheter sa propre maison à Étretat, et par la suite, tous les étés, une foule d'amis, artistes et écrivains, prennent plaisir à venir à la « Guillette ».

L'année suivante, Maupassant fréquente Emmanuela Potocka, une comtesse fortunée, intelligente et jolie. Il publie en 1885 son deuxième roman, *Bel-Ami*. Il se compare lui-même au héros de son roman, vu la rapidité de son ascension : « Bel-Ami, c'est moi ! » Il part alors sur la Côte d'Azur pour faire une croisière sur son bateau, le « Bel-Ami », en hommage au personnage qui a accru son succès. Cette croisière lui inspire la nouvelle *Sur l'eau*. Malgré sa santé fragile et les crises de syphilis qui commencent à se faire de plus en plus fréquentes, il voyage beaucoup et rencontre d'autres hommes de lettres : il se lie d'amitié avec Alexandre Dumas fils, mais aussi avec l'historien Hippolyte Taine, et continue de voir Zola et Tourgueniev. Il coupe rapidement les ponts avec les frères Goncourt, cependant, qu'il trouve trop mondains, et comme jaloux. Pendant l'année 1887, alors qu'on lui apprend la nouvelle d'un troisième enfant qu'il ne reconnaît pas, il travaille à son troisième roman, *Pierre et Jean*. Quelque peu misanthrope, et affaibli par la maladie, il sillonne malgré tout la

Méditerranée, parcourt l'Angleterre, et la France, et trouve dans ses voyages matière à écrire. Son frère cadet, Hervé, a été victime d'une crise de démence en 1887 et est décédé en 1889 lors d'un second internement. Maupassant, à son tour, subit les dégâts de la syphilis. Paranoïaque, dépressif, il tente de se soigner et se rend en cure dans les Vosges, mais rien n'y fait.

En 1890 et 1891, il se remet à écrire, mais n'achève ni *L'Âme étrangère* ni *L'Angélus*. Le 31 décembre 1891, il écrit une dernière lettre à son médecin, le docteur Cazalis. Sombrant dans la dépression, il est interné le 6 janvier 1892 dans la clinique du docteur Blanche ; il y meurt un an et demi après, le 6 juillet 1893. On l'enterre à Paris, au cimetière du Montparnasse.

PRÉSENTATION DE BEL-AMI

Bel-Ami est un roman réaliste, écrit par Guy de Maupassant dans sa demeure « La Guillette », à Étretat, et publié en 1885. Il paraît d'abord en feuilletons dans le journal *Gil Blas*, du 6 avril au 30 mai, puis est édité en volume aux éditions Ollendorff. Le roman rencontre un grand succès, avec trente-sept tirages en quatre mois.

À travers le personnage de Georges Duroy, homme ambitieux obsédé par sa réussite sociale et prêt à tout pour atteindre le sommet, Maupassant dresse une critique acerbe de la société du XIXe siècle, hypocrite, corrompue et dominée par l'argent. Le roman décrit aussi les dessous de la presse parisienne, dont l'auteur a connaissance grâce à sa propre expérience. *Bel-Ami* possède d'ailleurs des qualités autobiographiques. En effet, le personnage de Georges Duroy qui mène une vie de séducteur, entouré de maîtresses, et travaille comme journaliste tout en accordant beaucoup d'importance à l'argent, rappelle l'existence menée par Maupassant à cette époque de sa vie.

Mais *Bel-Ami* se présente avant tout comme une satire des milieux bourgeois. C'est une vision pessimiste de la vie parisienne où le personnage détestable et manipulateur de Georges Duroy triomphe de tout, prouvant l'absence de morale d'une société où le goût de l'argent et la nécessité d'ascension sociale ont remplacé les sentiments.

Contrairement à la vision des auteurs romantiques, Maupassant refuse de centrer ses romans sur un trop grand sentimentalisme, il ne veut pas attribuer une grandeur fictionnelle à ses héros. Au contraire, il tient à l'idée d'un roman objectif qui serait le résultat d'une froide observation de la réalité. Cela donne à des romans comme *Bel-Ami* un certain pessimisme et un certain cynisme. Le personnage de Duroy, froid et pragmatique, se sert des femmes sans jamais éprouver de sentiments envers personne. Centré uniquement sur sa propre réussite, il ne considère ceux qui l'entourent que comme des outils ou des obstacles. Si *Bel-Ami* est considéré avant tout comme un roman réaliste, il est aussi très proche du naturalisme, de par son observation minutieuse d'un milieu social.

On retrouve aussi dans *Bel-Ami* certains thèmes souvent repris dans les écrits de l'auteur, comme celui de la femme et de sa place dans la société, ou encore ses considérations sur la mort, qui semblent l'avoir préoccupé sa vie durant.

RÉSUMÉ DE L'OEUVRE

Première partie

Chapitre 1

Georges Duroy, ancien sous-officier, déambule dans les rues de Paris. C'est un homme élégant, qui aime attirer le regard des femmes sur lui. Depuis son retour d'Algérie, il est sans le sou. Il travaille comme employé aux bureaux du chemin de fer. Duroy croise son ancien compagnon hussard, Charles Forestier. Ce dernier s'en est mieux sorti que lui : il est marié et travaille comme journaliste à La Vie française. Après une courte discussion, Forestier finit par proposer de faire entrer Duroy au journal. Les deux hommes se rendent aux Folies Bergères de Montmartre, où Duroy fait la rencontre d'une prostituée qui lui fait les yeux doux et avec qui il finit par repartir.

Chapitre 2

Le lendemain, Georges Duroy se rend chez Charles Forestier, où il a été invité à dîner. Il fait la rencontre de Madeleine Forestier, la femme de son ami. Les autres invités arrivent, parmi eux figurent des personnalités importantes telles que M. Walter, le patron de *La Vie française*. D'abord intimidé par cette assistance, Duroy finit par oser prendre la parole et évoque ses années passées en Algérie. Walter, intéressé, demande à Duroy de lui écrire un article sur son expérience dans ce pays. En discutant avec les invités, notamment avec Mme de Marelle, Duroy se découvre la parole facile et un charme certain.

Chapitre 3

De retour chez lui, Duroy décide de se mettre sans tarder à la rédaction de l'article demandé par M. Walter. Mais il se révèle incapable d'exprimer sur le papier les souvenirs qu'il garde de son temps en Algérie. Voyant déjà ses espoirs s'écrouler, Duroy repense à sa vie, ses efforts pour réussir, pour devenir quelqu'un, tous vains jusqu'ici. Le lendemain, après une nouvelle tentative d'écriture infructueuse, Duroy rend visite à Forestier pour trouver un peu d'aide. Son ami le dirige vers sa femme qui, d'après lui, pourra l'aider. Après avoir interrogé Duroy sur son temps en Algérie, Madeleine Forestier entreprend de lui dicter un article. Duroy est séduit par l'esprit de Mme Forestier et heureux de l'intimité que ce moment vient de créer entre eux. Madeleine lui parle de Mme de Marelle, précisant que l'époux de cette dernière n'est à Paris que huit jours par mois. Duroy quitte Madeleine pour rendre son article à M. Walter, puis il rejoint Forestier, qui lui explique son nouvel emploi au journal.

Chapitre 4

Dès le lendemain matin, Duroy se précipite au kiosque à journaux pour acheter un exemplaire de *La Vie française*, et il est rempli de fierté en y trouvant l'article signé de son nom. Duroy effectue son premier jour de travail pour le compte de Forestier, puis rentre chez lui et tente d'écrire la suite de son article, toujours sans succès. Lorsqu'il tente de retourner chercher de l'aide auprès de Madeleine, Charles le congédie rudement en lui conseillant d'apprendre à se débrouiller seul. Duroy écrit donc par lui-même un article confus et brouillon qu'il remet au journal le lendemain. Mais l'article est refusé par M. Walter, qui le juge insuffisant et demande à Duroy de le réécrire. Après avoir tenté trois fois d'améliorer son article, sans succès, Duroy le met de côté. Il est devenu bon reporter, habitué à interviewer des personnalités très diverses. Malgré ses revenus, la vie de Georges est devenue plus active et dépensière et il demeure sans le sou, ce qui le désespère.

Chapitre 5

Duroy s'agace de ne rester qu'un sous-fifre au journal. Il aimerait revoir Mme Forestier, mais n'ose retourner chez elle. Il va alors rendre visite à Mme de Marelle, qui est ravie de le revoir. Il sympathise vite avec elle, ainsi qu'avec sa fille, Laurine. Duroy se rend un jour à un dîner au restaurant avec Mme de Marelle et les Forestier. Tout le monde boit beaucoup et, sur le chemin du retour, Duroy rassemble assez d'audace pour embrasser Clothilde de Marelle. La jeune femme répond à ses étreintes. Duroy rentre chez lui en se félicitant de la conquête qu'il vient de faire. Le lendemain, il retourne voir Clothilde et lui avoue qu'il l'aime. Laurine, qui s'est elle aussi prise d'affection pour Duroy, le baptise d'un surnom qui lui collera à la peau : Bel-Ami.

Duroy et Mme de Marelle deviennent amants et se retrouvent régulièrement dans un appartement loué par Clothilde pour qu'ils s'y rencontrent en secret. Un jour, Duroy avoue à Mme de Marelle ses problèmes d'argent. Celle-ci commence alors à lui laisser quelques pièces dans les poches à chacune de leurs rencontres. Un soir, Duroy emmène son amante aux Folies Bergères, mais il est abordé par Rachel, une prostituée qu'il a visitée plusieurs fois. En comprenant leur liaison, Clothilde s'enfuit, en larmes.

Chapitre 6

Duroy s'efforce de mener une vie plus économe. Mais la compagnie des femmes lui manque, il va alors voir Mme Forestier pour lui avouer qu'il l'aime. Madeleine lui répond qu'il n'y a aucune chance pour qu'elle devienne sa maîtresse et propose plutôt qu'ils soient amis. Elle lui conseille de jouer plutôt de ses charmes sur Mme Walter, la femme de son patron, car cela pourrait lui octroyer une meilleure position au journal. Duroy suit son conseil et rend visite à Mme Walter. Le lendemain, il se voit nommé chef de la rubrique des échos. Lors d'un dîner chez les Walter, Duroy revoit Mme de Marelle, qui semble avoir tout oublié de leur dispute. Charles Forestier est malade et de plus en plus affaibli, il part pour quelques jours à Cannes avec sa femme, laissant le soin à Duroy de gérer ses affaires au journal.

Chapitre 7

Duroy se retrouve au cœur d'une querelle par article interposé avec un journaliste de *La* Plume. Ce dernier l'accuse de diffuser de fausses nouvelles et d'être acheté. Les choses escaladent très vite, jusqu'à ce que Georges se trouve forcé d'affronter son rival dans un duel au pistolet. Duroy passe une mauvaise nuit dans la peur de ce qui risque d'arriver, mais le duel ne fait finalement aucun blessé et l'affaire est vite réglée.

Chapitre 8

Duroy s'est installé définitivement dans l'appartement où il rencontre Mme de Marelle. Il reçoit un jour une lettre de Madeleine Forestier qui lui demande de la rejoindre à Cannes. Charles est mourant et elle ne veut pas se retrouver seule à son chevet lors de ses derniers instants. Duroy rejoint Cannes et tous deux veillent Charles pendant quelques jours, jusqu'à ce qu'il meure dans son lit. Devant le spectacle de la disparition de son ami, Georges est un instant saisi d'effroi. Puis il songe à la possibilité de devenir le nouvel époux de Madeleine. Il propose à la jeune veuve de devenir sa femme, Mme Forestier promet d'y réfléchir, en prévenant néanmoins Georges qu'elle est une femme indépendante qui entend conserver sa liberté et ne pas être traitée en inférieure.

Deuxième partie

Chapitre 1

Les mois passent, Duroy mène une vie presque conjugale avec Clothilde. Puis Mme Forestier revient à Paris. Le journalisme manque à Madeleine, et elle accepte d'épouser Georges, dans l'optique de devenir son associée. Elle avoue qu'elle aimerait prendre un nom plus noble que celui de Duroy, et propose à Georges de se faire désormais appeler Du Roy de Cantel. Georges annonce la nouvelle de son mariage à Mme de Marelle, qui s'efforce d'être compréhensive malgré sa peine. Madeleine Forestier insiste pour rencontrer les parents de Duroy, des gens simples de la campagne. Une fois arrivée, elle ne se sent pas à son aise dans ce milieu rustique et le couple repart dès le lendemain pour Paris.

Chapitre 2

Duroy s'apprête à reprendre le poste de Forestier au journal. Il fait la connaissance du Comte de Vaudrec, un vieil ami de Madeleine. Les deux hommes ne tardent pas à s'entendre. Grâce à l'aide de Mme Forestier, les articles de Duroy ont de plus en plus de succès. Ce dernier est placé en charge de la rédaction politique de *La* Vie française. Il acquiert de plus en plus d'influence dans le monde politique. À cause de la ressemblance entre son style et celui de son ami défunt, ses collègues s'amusent à l'appeler Forestier, ce qui exaspère Duroy. Il se sent de plus en plus jaloux de Forestier, dont il subsiste des souvenirs partout chez eux.

Chapitre 3

Du Roy revoit un jour Mme de Marelle et sent la nostalgie le saisir en repensant à leur complicité d'autrefois. Il lui rend visite le lendemain et est heureux d'apprendre qu'elle a continué de louer leur appartement de la rue Constantinople. Ils se donnent rendez-vous là-bas dès le jour suivant. Il se rapproche aussi de Mme Walter qui, d'après sa femme, a un faible pour lui. Un jour, il se rend chez elle et lui annonce qu'il l'aime, avant de tenter de l'embrasser. Mme Walter le repousse, déboussolée. Du Roy continue de lui faire la cour chaque fois qu'il la voit et Mme Walter continue de résister, de plus en plus effarée.

Chapitre 4

Mme Walter a donné rendez-vous à Du Roy place de la Trinité. Du Roy se lance dans un discours passionné pour l'attendrir et, finalement, Mme Walter finit par lui avouer qu'elle l'aime aussi. Puis elle lui demande de ne plus chercher à la voir. Mais elle change d'avis dès le lendemain et demande à Du Roy de la rejoindre. Ce dernier l'emmène dans son appartement rue Constantinople.

Chapitre 5

La Vie française prend une importance de plus en plus grande, la maison de Du Roy et sa femme devient le lieu privilégié de rencontre des personnalités influentes de Paris. Du Roy continue de voir Mme de Marelle régulièrement, ainsi que Mme Walter. Il aimerait faire cesser sa relation avec cette dernière, qui s'accroche à lui et l'étouffe de son affection. Dans un effort pour regagner ses faveurs, Mme Walter lui parle d'une nouvelle tenue secrète par son mari, et qui pourrait rapporter beaucoup d'argent à Du Roy s'il en profitait. Un jour que Du Roy est avec Mme de Marelle après avoir vu Mme Walter plus tôt, Clothilde découvre des cheveux bruns sur son gilet et comprend qu'il a une autre maîtresse. La jeune femme le gifle et le quitte furieuse. Du Roy apprend un jour que le Comte de Vaudrec est mourant. Madeleine se précipite chez lui et revient dans la nuit pour à annoncer à Georges que Vaudrec est mort.

Chapitre 6

Du Roy et Madeleine se rendent aux obsèques de Vaudrec. Georges espère que le comte leur a légué un peu de sa fortune, mais quand il apprend du notaire que Vaudrec a légué tout son argent à Madeleine, il se met en colère et l'accuse d'avoir été sa maîtresse. Madeleine dément fermement. Du Roy hésite à accepter le leg, craignant que celui-ci ne fasse surgir des rumeurs qui le rendraient ridicule. Il finit par décider que Madeleine lui cédera la moitié de la somme, de cette manière sa réputation restera sauve.

Chapitre 7

Grâce à l'héritage, Du Roy est devenu riche, mais M. Walter l'est plus encore, ce qui rend Du Roy envieux. Lors d'une soirée, il passe du temps avec Suzanne, la fille des Walter, et regrette de ne pas l'avoir épousée, elle.

Chapitre 8

Cédant aux suppliques de Mme Walter, Du Roy se rend régulièrement chez les Walter, à condition qu'ils se traitent désormais uniquement en amis. En revanche, il se rapproche de plus en plus de Suzanne avec qui une intimité fraternelle s'est tissée. Jusqu'au jour où Du Roy avoue à la jeune fille qu'il l'aime. Il lui demande de ne se fiancer à personne pour le moment. Depuis quelques temps, Du Roy surveille étroitement Madeleine. Il la regarde quitter la maison et se rendre dans un appartement rue des Martyrs. Il se rend alors chez le commissaire de police et lui demande d'aller à l'adresse indiquée pour y constater l'adultère de sa femme. Ils découvrent Madeleine au lit avec Laroche-Mathieu, le ministre des Affaires étrangères.

Chapitre 9

Trois mois ont passé. Le divorce entre Du Roy et Madeleine a été prononcé. Georges part pour une journée à la campagne avec la famille Walter. Il annonce à Suzanne son désir de l'épouser, et lui demande d'en parler elle-même à ses parents. Il promet ensuite de l'enlever pour qu'ils puissent demeurer ensemble quelle que soit la décision des Walter. Le soir vient, Du Roy et Suzanne mettent leur plan à exécution et partent en secret. En s'apercevant de la disparition de leur fille, les Walter sont au désespoir. Le vrai visage de Du Roy leur apparaît, mais il est trop tard : Suzanne est maintenant déshonorée et ils n'ont d'autre choix que de la marier à Du Roy. Mme Walter est effarée par cette nouvelle. Du Roy et M. Walter échangent des lettres où le père consent au mariage de sa fille.

Chapitre 10

Georges revoit Mme de Marelle dans leur appartement. Celle-ci a ouvert les yeux sur son amant et l'accuse d'être un malhonnête et un manipulateur. Alors qu'elle l'accuse, furieuse, d'avoir volé la moitié de l'héritage de Madeleine et d'avoir couché avec Suzanne pour forcer les Walter à la lui donner, Du Roy s'emporte et la frappe violemment. Puis il part en la laissant pleurer au sol. Peu après, Du Roy, qui possède désormais le titre de baron, devient rédacteur en chef de *La Vie Française*. Une grande cérémonie est organisée pour le mariage où beaucoup de personnes influentes se rendent. Mme Walter a juré de ne plus jamais adresser un mot à Du Roy. Elle l'aime encore, et est horriblement jalouse de sa fille. Une fois le mariage prononcé, Du Roy tombe sur Mme de Marelle et, en un regard, il comprend que tout est pardonné à nouveau. Alors qu'il sort de l'église aux bras de sa femme, c'est à sa maîtresse qu'il pense.

LES RAISONS
DU SUCCÈS

La deuxième moitié du XIXᵉ siècle voit l'émergence du mouvement réaliste en France. En réaction à la grandiloquence du romantisme, les auteurs expriment leur désir de ramener la littérature à quelque chose de plus vrai. Leurs romans deviennent alors le résultat d'une observation minutieuse de la vie réelle. Le réalisme a pour objectif d'étudier les mœurs d'un milieu en toute objectivité, allant parfois jusqu'à s'inspirer de faits divers. Les maîtres à penser de ce mouvement furent Flaubert (1821-1880), Balzac (1799-1850) ou encore Stendhal (1783-1842). Guy de Maupassant est, lui aussi, considéré comme l'un des grands représentants du réalisme.

Honoré de Balzac est considéré comme le précurseur du réalisme, dont il a créé les principes fondateurs en écrivant les premiers romans de sa *Comédie humaine*. Une œuvre colossale où sont regroupés quatre-vingt-dix textes et où il s'est attaché à recréer la société française de son époque. En 1830 paraît Gobseck, le premier roman des *Scènes de la vie privée*, qui constituent une étude de mœurs précise et détaillée, avec le souci de coller au plus près à la réalité. C'est cette obsession de la vraisemblance qui établira les bases du mouvement réaliste.

Gustave Flaubert adhérera lui aussi aux préoccupations du réalisme, il considérera d'ailleurs Balzac comme son modèle. Animé du même goût de l'observation et croyant à la nécessité de refléter la réalité, Flaubert contribue au courant réaliste et à son étude des milieux sociaux avec des romans comme *Madame Bovary* (1857), *Salammbô* (1862) ou encore *Bouvard et Pécuchet* (1881).

En tant que disciple de Flaubert durant toute sa jeunesse, Maupassant sera naturellement influencé par le réalisme affectionné par l'auteur. Ses romans sont eux aussi imprégnés de ce sens du détail et de ce style froid d'observateur. C'est le cas de *Bel-Ami*, une étude précise de la société parisienne du XIXe siècle et plus particulièrement des milieux bourgeois est effectuée. Maupassant s'inspire d'un milieu qu'il côtoie et connaît, il imbrique à son intrigue des faits réels de l'actualité politique et l'ancre très précisément dans l'espace et le temps. Sont ainsi décrits des lieux emblématiques de Paris tels que les Folies Bergères, le bois de Boulogne, le Faubourg Montmartre ou encore les cafés célèbres de l'époque. L'auteur offre aussi une description des milieux journalistiques en s'inspirant de sa propre expérience en tant que reporter. Récit de la vie dissolue d'un jeune homme qui aime les femmes et qui est pétri d'ambition, *Bel-Ami* va plus loin dans la recherche du réalisme en s'inspirant directement de la vie de son auteur, prenant ainsi un aspect presque autobiographique. À l'instar du personnage de Madeleine Forestier, qui, lorsqu'elle compose son article pour Duroy, part de la réalité pour ensuite y broder de la fiction, Maupassant s'inspire de ses expériences vécues pour nourrir son roman et coller à la réalité.

À partir de 1870 s'est développé en France le mouvement naturaliste, en continuation avec le réalisme et qui en renforce certains aspects. Le naturalisme reprend l'importance de se rapprocher au plus près de la réalité dans la littérature, en allant jusqu'à la considérer comme une science. Un moyen d'expérimentation où sont étudiés les comportements humains en rapport avec le milieu dans lequel ils évoluent. La psychologie prend une importance nouvelle dans l'élaboration d'un personnage, on s'intéresse aux déterminismes sociaux auxquels il est soumis ainsi qu'à d'autres forces telles que son hérédité ou son époque. Gustave Flaubert adhérera, par certains aspects, au naturalisme, mais le meilleur représentant de ce mouvement reste Émile Zola (1840-1902), considéré comme le fondateur du naturalisme. Son œuvre, *Les Rougon-Macquart*, composée de vingt volumes et dépeignant la destinée d'une famille à travers plusieurs générations, en est le plus parfait exemple. Très impliqué dans les luttes sociales propres à son époque, Zola étudie dans ses romans les conséquences du milieu social non seulement sur une personne, mais sur toute sa descendance.

Maupassant a toujours été très proche du mouvement naturaliste, et son roman, *Bel-Ami*, s'inscrit parfaitement dans ce courant. Si le récit tient du réalisme son sens du détail et de la vraisemblance vont plus loin encore, puisqu'il décrit le personnage de George Duroy comme un pur produit du milieu à l'intérieur duquel il évolue. Dans une société parisienne dominée par l'hypocrisie et l'obsession de l'argent, Duroy va s'épanouir, devenant de plus en plus cynique et méprisable à mesure qu'il se hisse vers le sommet. Le milieu de la presse est aussi décrit comme propice au succès de personnages tels que Duroy, guidés par l'obsession de l'argent et de l'avancement social. *Bel-Ami* décrit tous les milieux sociaux qui se côtoient dans Paris : depuis les plus pauvres et les prostituées aux Folies Bergères jusqu'aux salons mondains de la haute société. En livrant une observation de toutes les classes sociales de la capitale au XIXe siècle, Maupassant se prête à une description naturaliste de la société. En tant que roman naturaliste, *Bel-Ami* est, par définition, une parfaite représentation de son époque. Maupassant se situe entre ces deux mouvements caractéristiques de la littérature française du XIXe siècle, en parfaite adéquation avec les grands auteurs des décennies précédentes, mais aussi avec ceux des années à venir.

À sa sortie en 1885, *Bel-Ami* rencontre un succès critique mitigé et soulève même une certaine polémique. En effet, en faisant le portrait peu flatteur d'un journal français parisien, qui se révèle gangrené par la corruption et la soif d'argent de ses représentants, Maupassant s'attire les foudres des journalistes. Tout en reconnaissant ses talents d'écrivain, bon nombre de critiques décrieront le ton satirique de *Bel-Ami*. Ainsi pourra-t-on lire dans le journal *Le Gaulois* : « Il a beaucoup de talent, M. de Maupassant ; mais son *Bel-Ami* est bien répugnant, et, dût-on me trouver bien arriéré, j'aimerais mieux lui voir choisir des sujets plus propres. » *Le Rappel*, lui, déplore les personnages trop sombres du roman : « Ce que je reproche à M. Guy de Maupassant, c'est ce que je reproche à beaucoup d'autres, de faire des expériences sur des âmes trop viles. À force de ne plus vouloir de héros, on ne met plus d'hommes dans le roman. »

Malgré tout, le succès populaire est au rendez-vous et Bel-Ami trouve de nombreux lecteurs. Certains critiques, comme ceux de La Justice, sont très élogieux : « *Bel-Ami* aura le succès qui s'attache à toute œuvre sérieusement pensée, vigoureusement écrite, remuant à fond le cœur et l'âme de la tourbe humaine. » Même chose pour le journal *Le XIXe siècle*, qui souligne le talent de l'auteur pour dresser la psychologie de ses personnages : « Le jeune Maître n'avait pas encore donné de son talent robuste une preuve aussi décisive, une démonstration aussi brillante, et jamais il n'était entré aussi profondément dans la psychologie humaine que dans ces pages admirables. » Le livre fera parler de lui pendant plusieurs semaines, durant lesquelles les critiques se répondent les unes aux autres, tantôt pour défendre le roman, tantôt pour le dénigrer. Dans *La Justice* du 3 août 1885, un chroniqueur particulièrement virulent s'attache à démontrer l'invraisemblance de l'intrigue de *Bel-Ami* : « Où donc M. de Maupassant a-t-il vu un journal comme *La Vie française*, vivant de scandales et de tripotages, avoir une pareille influence sociale et politique ? Quand donc un seul article écrit par un journaliste d'occasion, en collaboration avec une femme, dans un boudoir où il est beaucoup plus question d'amour que d'autre chose, a-t-il pu culbuter un ministère, alors que les efforts répétés de cent journaux sérieux de Paris et de province, joints à la pression de l'opinion publique, n'en viennent pas à bout ? Ce n'est pas sérieux. »

En réaction au débat, Maupassant publie une réponse à la critique adressée à son roman dans le journal *Gil Blas* du 7 juin 1885 : « Donc, les journalistes, dont on peut dire comme on disait jadis des poètes : *Irritabile genus*, supposent que j'ai voulu peindre la Presse contemporaine toute entière, et généraliser de telle sorte que tous les journaux fussent fondus dans *La Vie française*, et tous les rédacteurs dans les trois ou quatre personnages que j'ai mis en mouvement. Il me semble pourtant qu'il n'y avait pas moyen de se méprendre, en réfléchissant un peu. »

Avec le temps, *Bel-Ami* en viendra à être considéré comme l'un des récits les plus aboutis de l'auteur, et la plupart des critiques s'entendront à saluer la précision de sa plume et son talent pour décrire la société sans complaisance. Dans *La Revue des deux mondes* du 1er juillet 1885, Ferdinand Brunetier va même jusqu'à considérer *Bel-Ami* comme l'un des exemples parfaits du naturalisme : « *Bel-Ami* est ce que M. de Maupassant, pour parler le langage du jour, a écrit de plus fort et je ne craindrai pas d'ajouter : ce que le roman naturaliste, le roman strictement et vraiment naturaliste, a produit de plus remarquable. [...] J'entends par là que rarement on a de plus près imité le réel, et rarement la main d'un artiste a moins déformé ce que percevait son œil. Tout est ici d'une fidélité, d'une clarté, d'une netteté d'exécution singulières. »

Si le modèle principal de Maupassant lors de ses premières années d'écriture fut Flaubert, avec *Bel-Ami*, c'est à Balzac qu'il est comparé, et plus particulièrement au personnage d'Eugène de Rastignac, dans *Le Père Goriot* (1835). Personnage ambitieux évoluant dans Paris et que l'on voit acquérir peu à peu le pouvoir qu'il recherche, Rastignac montre plusieurs similitudes avec Georges Duroy. Le personnage de Balzac a notamment la même vision des femmes que le personnage de Maupassant : « Une jeune femme ne refuse pas sa bourse à celui qui lui prend le cœur », dira Rastignac à ce propos. Mais si les deux héros réalistes peuvent paraître semblables, des différences importantes sont à observer entre eux, la principale étant que si Rastignac conserve un caractère propre à ce que le lecteur s'attache à lui ou du moins le prenne en pitié, Georges Duroy, lui, est le portrait d'un personnage détestable, se livrant à ses manipulations sans la moindre hésitation et n'éprouvant jamais de remords pour ses actes. Alors que le personnage de Balzac conserve une certaine note de romantisme, celui de Maupassant dévoile un cynisme et un pessimisme saisissants. Le journal *Le Rappel* du 8 juin 1885 le remarquera d'ailleurs en ces termes : « Mais quand Balzac lançait Rastignac à travers le monde, il lui donnait, avec ses vilenies d'intention, assez de valeur humaine pour qu'on s'attachât à lui. »

Bel-Ami emprunte aussi à la mode du roman d'apprentissage qui fleurit au XIXe siècle dans des romans comme *Le Père Goriot* de Balzac ou encore *L'Éducation sentimentale* (1869) de Flaubert. Apparenté au mouvement naturaliste, le roman d'apprentissage naît en Allemagne à la fin du XVIIIe siècle, avec le roman de Goethe *Les Années d'apprentissage de Wilhem Meister* (1777-1796). Ce genre s'attache à montrer l'évolution d'un individu dans la société, le faisant passer d'un milieu souvent médiocre à la réussite. Une description qui s'apparente tout à fait à l'ascension de Georges Duroy.

Enfin, Maupassant emprunte beaucoup à la philosophie de Schopenhauer (1788-1860). L'auteur est en effet un grand admirateur du philosophe, à propos de qui il a même publié une nouvelle en 1883, en guise d'hommage : *Auprès d'un mort*.

Dans une lettre datée de 1881, Maupassant écrit :

« J'admire éperdument Schopenhauer et sa théorie de l'amour me semble la seule acceptable. La nature qui veut des êtres, a mis l'appât du sentiment autour du piège de la reproduction. » Les théories développées par Schopenhauer sont parfaitement en accord avec la vision sombre et pessimiste de Maupassant vis-a-vis de la société et de la nature humaine. En effet, d'après le philosophe, l'homme est voué au malheur, car placé dans une société qu'il ne peut contrôler. L'humanité serait gouvernée par une volonté, celle d'être plus, de posséder plus. Volonté qui, dans la société actuelle, est vouée à le conduire à la déception. Cette philosophie correspond parfaitement au personnage de Georges Duroy : dévoré par l'ambition, il ne se satisfait jamais de ce qu'il possède, au contraire, dès qu'il a atteint un nouveau palier dans la société, il ne pense qu'au moyen d'accéder au suivant. C'est aussi un personnage envieux, jaloux des autres et persuadé de toujours manquer de quelque chose. Même lorsqu'il accède à la richesse, il ne peut songer qu'à ceux qui sont encore plus riches que lui, et cela le remplit d'amertume et de rancœur.

LES THÈMES
PRINCIPAUX

Le thème principal exploré par l'intrigue de *Bel-Ami* est celui de la société parisienne du XIXe siècle, dont Maupassant effectue une satire évidente. Il décrit un milieu obsédé par l'argent et le profit, incarné par le personnage de Georges Duroy. En effet, ce dernier est dès le début caractérisé par son rapport à l'argent, et n'aura de cesse de chercher à en acquérir plus. Duroy voit surtout la richesse comme un moyen d'atteindre le mode de vie dont il rêve, celui de la haute société. L'argent n'est pas voulu par désir avare de l'amasser, mais comme une source de pouvoir et de supériorité sociale. Les préoccupations de la bourgeoisie semblent n'être que matérielles, même l'art n'est plus vu que comme une marchandise propre à affirmer son aisance financière, comme le prouve la galerie de tableaux de M. Walter.

Cette société intéressée et superficielle est propre à créer et faire prospérer des êtres comme Duroy : menteurs, hypocrites, sans état d'âme et prêts à tout pour parvenir à leurs fins. Le caractère insatiable de Duroy laisse supposer qu'il ne s'arrêtera pas à la victoire acquise par son mariage avec Suzanne Walter et qu'il continuera son ascension sociale, aidé par une société où les hommes comme lui sont approuvés, comme le montre la réaction de M. Walter lorsqu'il se voit forcé de lui donner sa fille en mariage : « Il est fort tout de même. Nous aurions pu trouver beaucoup mieux comme position, mais pas comme intelligence et comme avenir. C'est un homme d'avenir. Il sera député et ministre. » Maupassant nous fait la peinture d'un homme avec qui le lecteur ne peut en aucun cas sympathiser, car dépourvu de qualités et même, semble-t-il, de sentiments.

Associée à cette satire de la société s'ajoute une critique de la presse française du XIXe siècle. Le monde du journalisme apparaît dans *Bel-Ami* comme corrompu, entretenant des liens étroits avec la politique. Les journalistes ont oublié tout souci d'objectivité, tout sens des valeurs. Ils sont malhonnêtes et ne travaillent plus qu'à leur propre intérêt. C'est dans ce milieu immoral que Georges Duroy trouve sa place et qu'il s'épanouit.

Bel-Ami explore aussi le thème des femmes, leur place dans la société et particulièrement dans les milieux de la bourgeoisie. Le personnage de Georges Duroy ne voit les femmes que comme des objets de plaisir (les prostituées des Folies Bergères ou bien Mme de Marelle, son éternelle maîtresse), ou des moyens d'ascension sociale. En effet, Duroy n'a qu'un rapport calculateur vis-a-vis des femmes qu'il côtoie : il les étudie, les compare pour déterminer laquelle satisfera le mieux son ambition. Il les séduit par pure stratégie. Les sentiments entrent rarement en ligne de compte, et de moins en moins à mesure que Duroy se hisse dans la société. L'amour des femmes semble avoir été remplacé par l'amour de l'argent, et les femmes ne sont plus que des outils précieux pour atteindre la réussite.

Malgré cela, les femmes de *Bel-Ami* ne peuvent pas être vues comme des victimes à plaindre, car elles se prêtent elles aussi à ces jeux de séduction et de pouvoir. Ainsi, Madeleine Forestier se sert des hommes pour assouvir sa passion du journalisme et de la politique à travers eux. Elle n'hésite pas à commettre l'adultère et ne voit ses relations avec les hommes qu'en termes d'intérêt ou d'association. L'amour n'entre jamais en ligne de compte et ce sentiment ne l'intéresse pas, comme elle l'explique à Duroy : « Mon cher ami, pour moi un homme amoureux est rayé du nombre des vivants. Il devient idiot, pas seulement idiot, mais dangereux. Je cesse, avec les gens qui m'aiment d'amour, ou qui le prétendent, toute relation intime, parce qu'ils m'ennuient d'abord, et puis parce qu'ils me sont suspects comme un chien enragé qui peut avoir une crise. Je les mets donc en quarantaine morale jusqu'à ce que leur maladie soit passée. » Mme Walter, séduite par Duroy, commet un adultère, et n'hésite pas ensuite à utiliser sa position et les secrets qu'elle connaît de son mari pour retenir Bel-Ami auprès d'elle. Mme de Marelle pardonne tout à Duroy et revient vers lui, même après qu'il l'a trompée, après avoir découvert son vrai visage et après qu'il l'a battue. Même Suzanne Walter, dernier symbole d'innocence et de naïveté, est consciente de sa fortune et de l'intérêt qu'elle représente grâce à cela. Elle s'attache à Duroy par caprice et parce qu'elle sait que ses parents ne l'accepteront pas. Ainsi, personne ne semble épargné par l'auteur, personne ne paraît respectable.

En accord avec le caractère pessimiste de Maupassant, *Bel-Ami* est aussi caractérisé par l'omniprésence de la mort et du cynisme, qui semble miner le parcours de Duroy. C'est comme si quelque chose lui rappelait sans cesse que son existence aura toujours la même fin, peu importe l'étendue de son ambition et les sommets qu'il atteindra. Cette inéluctabilité est d'abord soulignée par la manière dont Duroy accède au premier palier de son ascension : en prenant la place de Forestier après sa mort. Duroy épousera la femme de celui-ci, ira vivre dans son appartement et prendra son poste au journal. Le rapprochement entre le mort et le vivant est accentué encore par le fait que Duroy se mette à écrire comme Forestier, puisque c'est Madeleine qui va l'aider à rédiger ses articles, comme elle le faisait avec Charles. On commence alors à l'appeler Forestier au journal. Duroy est comme hanté par le mort, dont il sent la présence partout.

Dans la même idée, un autre thème récurrent chez Maupassant est présent dans *Bel-Ami* : celui du double. En plus d'être devenu le double de Forestier, Duroy semble sans cesse subir ce sentiment d'être un autre. Lorsqu'il se voit dans un miroir, c'est toujours un autre qu'il voit : lors de sa première visite chez Forestier, il se retrouve face à « un monsieur en grande toilette qui le regarde ». Plus tard, c'est « un monsieur pressé qui vient en gambadant à sa rencontre. » Quand Duroy et Madeleine reviennent un soir d'une promenade, Duroy croit apercevoir « deux fantômes » dans la glace, et remarque : « voilà des millionnaires qui passent. » Une hantise semble planer sur Duroy, comme s'il ne parvenait pas à associer sa réussite à sa propre identité, raison pour laquelle, peut-être, il n'est jamais satisfait. Le dédoublement se produit jusque dans son nom : Duroy, qui renvoie à la noblesse, la royauté, et qui est en opposition avec ses origines paysannes.

Le thème de la mort est directement présent dans l'intrigue, il semble planer comme une menace sur la réussite de Duroy. Ce dernier est très perturbé par la mort de Forestier, à laquelle il assiste, et qui le renvoie à sa propre mortalité et à la finalité inéluctable de son existence. Quoi qu'il fasse, peu importe à quelle hauteur il parviendra à se hisser, le néant l'attendra toujours au bout du chemin. Le duel au pistolet que Duroy doit mener est l'un de ces moments où le personnage ressent le plus le poids de la mort. Terrifié à l'idée de ce qu'il pourrait se produire, il s'imagine déjà étendu sur son lit avec « ce visage creux qu'ont les morts et cette blancheur des mains qui ne remueront plus. »

Le meilleur représentant de cette menace est le personnage de Norbert de Varenne qui, tel un prophète venu délivrer un sinistre message, explique à Duroy à quel point sa quête de réussite, ses préoccupations et, finalement, son existence même, sont vaines : « Il arrive un jour, voyez-vous, et il arrive de bonne heure pour beaucoup, où c'est fini de rire, comme on dit, parce que derrière tout ce qu'on regarde, c'est la mort qu'on aperçoit. »

ÉTUDE DU MOUVEMENT LITTÉRAIRE

Apparu en France au milieu du XIXe siècle, le réalisme est un mouvement à la fois pictural et littéraire. En opposition au romantisme qui mettait le sentiment en exergue, le réalisme s'efforce d'effectuer une représentation la plus fidèle possible du réel. Le roman réaliste constitue une représentation du quotidien et s'intéresse à toutes les classes sociales. Les auteurs de ce mouvement se font observateurs avant tout : ils doivent décrire ce qu'ils connaissent, en toute objectivité, sans chercher à l'embellir. Le réalisme est une étude des mœurs de la société et des individus qui la composent. Dans leur souci du vrai et leur détermination à éviter toute recherche du spectaculaire ou de l'héroïque, les romanciers réalistes s'opposent aux mouvements historique, romantique ou lyrique. Plutôt que de se considérer comme un art, le roman réaliste s'inscrit dans un objectif scientifique. Plus qu'un simple divertissement, il se doit d'apporter quelque chose à la société. Cette recherche constante du vrai et de l'objectivité s'accompagne d'une absence de style : le réalisme décrit la réalité telle qu'elle est, même lorsqu'elle est ordinaire, médiocre ou vulgaire. Le réalisme rejette aussi la technique du narrateur qui intervient dans l'histoire, et met en avant son personnage. Le roman est vu à travers son regard et son point de vue est le seul qui soit donné à l'auteur. La recherche du réel se traduit également par un récit précisément ancré dans l'espace, avec des descriptions de lieux très détaillées.

Le mouvement réaliste naît dans une période marquée par les bouleversements. La révolution industrielle provoque un développement de l'édition et de la presse, ces deux univers s'allient même dès 1836 pour créer les romans-feuilletons. La littérature devient alors plus universelle, elle peut toucher un plus grand nombre. En outre, l'apparition du prolétariat et des premières manifestations ouvrières deviennent une nouvelle source de préoccupation et d'inspiration pour les auteurs.

Le réalisme littéraire entretient une relation étroite avec la peinture. C'est d'ailleurs dans cet art que le réalisme a pour la première fois fait parler de lui, à travers le tableau de Gustave Courbet *Un enterrement à Ornans*. Le tableau suscita une polémique et on accusa le peintre de représenter le vulgaire et le laid. L'œuvre devint rapidement un manifeste du réalisme, duquel est né par la suite le réalisme littéraire.

En 1856 est lancée la revue *Réalisme*. Créée par le romancier Louis-Edmond Duranty (1833-1880). La revue critique le romantisme et la vision uniquement divertissante de la littérature. À propos de l'objectif de la revue, Duranty écrira : « Beaucoup de romanciers, non réalistes, ont la manie de faire exclusivement dans leurs œuvres l'histoire des âmes et non celle des hommes tout entiers. […] Or, au contraire, la société apparaît avec de grandes divisions ou professions qui *font* l'homme et lui donnent une physionomie plus *saillante* encore que celle qui lui est faite par ses instincts naturels ; les principales passions de l'homme s'attachent à sa profession sociale, elle exerce une pression sur ses idées, ses désirs, son but, ses actions. »

Le réalisme s'est progressivement imposé dans le monde entier. Il apparaît d'abord en Allemagne, vers 1830, avant de se propager en Angleterre puis aux autres pays, jusqu'à la Russie et les États-Unis. Cependant, c'est en France qu'il aura la plus grande influence, grâce à un certain nombre d'auteurs investis dans ce mouvement. Balzac, Stendhal, Flaubert, Zola, Maupassant, Huysmans sont autant de noms qui ont contribué au développement du réalisme.

Alors que les mouvements précédents se faisaient souvent idéalistes, décrivant la vie comme elle devrait être, plus heureuse et plus juste, récompensant les gens honnêtes et braves et punissant les personnes mauvaises, le réalisme décrit le monde comme il est réellement, sans rien cacher. Il n'hésite pas à montrer la misère sociale des classes défavorisées dans des romans qui ont rarement une fin heureuse ou morale. Le réalisme est en cela pessimiste, mais dans une volonté d'ouvrir les yeux de la population, de lui faire prendre conscience de certains aspects de la société qui pourraient leur être inconnus.

Le réalisme se divise principalement en trois courants : le premier traite de la littérature comme d'un reportage journalistique, un état des faits totalement objectif. C'est la technique employée par Champfleury (1821-1889), qui était par ailleurs journaliste et qui fut l'un des défenseurs du réalisme. Le deuxième courant, représenté notamment par Flaubert, Baudelaire, et plus tard Proust, associe le critère du beau à celui du vrai. Le troisième courant est celui des œuvres engagées. Les romans ne sont pas préoccupés par l'art, ils ont une portée sociale, un message à faire passer. Le réalisme affirme ainsi un désir de dénoncer et de contribuer à une réformation de la société. C'est cette volonté qui fit des réalistes des écrivains polémiques qui verront souvent leurs œuvres soumises à des procès et censurées, comme ce fut le cas de Flaubert, Baudelaire ou encore Maupassant. Le réalisme naît aussi d'une époque particulière, qui voit apparaître les sciences humaines. Les auteurs peuvent alors se servir des connaissances nouvellement acquises en biologie, psychologie et sociologie pour élaborer leurs personnages et leurs intrigues.

En accord avec les évolutions de son époque, le mouvement réaliste s'attache à représenter les classes sociales jusque-là délaissées par la littérature. Celle des ouvriers, des hommes qui vivent dans la misère, des prostituées... Des thèmes tels que ceux du travail, des relations homme-femme ou des injustices sociales deviennent les préoccupations principales des romanciers. En outre, la nécessité de se fonder sur le réel et les expériences vécues donnera un aspect plus personnel au roman, qui se fait souvent plus ou moins autobiographique. Les auteurs traiteront de ces thèmes chacun à leur façon. Ainsi, Balzac, dans *La Comédie humaine*, n'hésite pas à décrire des réalités communément ignorées par la littérature parce que trop vulgaires ou trop banales. Balzac présentera le quotidien de toutes les classes sociales, excepté la classe ouvrière. Ses romans critiquent notamment la place trop importante de l'argent dans la société.

Le réalisme se caractérise également par la dimension pédagogique qu'il s'efforce d'adopter. En effet, des auteurs comme Balzac, Stendhal ou Zola auront à cœur d'expliquer dans le détail certains aspects de la société. L'écriture est vue comme un moyen d'enseignement. Elle apprend, révèle et ouvre les yeux sur certains aspects méconnus de la société. Dans sa recherche de véracité, le réalisme en vient à devenir un mouvement de déconstruction des idées véhiculées jusqu'ici : celles d'un optimisme, d'une morale et d'une justice que l'observation de la réalité a démenties. L'homme n'est plus mis en valeur mais présenté dans toute sa nudité, avec ses défauts et ses failles. Son succès ou ses échecs ne sont plus conditionnés par son mérite mais par le fonctionnement, souvent arbitraire et injuste, de la société moderne.

On ne peut parler du réalisme sans évoquer le mouvement qu'il a initié, et qui s'est placé dans sa continuation directe : le naturalisme. Issu directement des principes réalistes, il est élaboré par Émile Zola dans un désir de renforcer l'aspect scientifique de la démarche de l'auteur. Influencé par la méthode expérimentale, il veut faire du roman une véritable analyse des phénomènes biologiques et sociologiques, s'intéressant notamment à l'hérédité, à l'influence du milieu social ou de la psychologie. Le roman, pour Zola, devient le lieu d'une expérience, fondée en premier lieu sur une observation minutieuse du réel et, en second lieu, de l'étude des conséquences des faits observés. L'œuvre la plus représentative du naturalisme est celle des *Rougon-Macquart*. En l'espace de vingt romans, et par un processus de recherche et d'analyse, l'auteur retrace l'histoire d'une famille, génération après génération, en démontrant toutes les conséquences de l'hérédité sur un individu.

Mis à part un désir identique de se faire les représentants de la société et de leur époque dans son intégralité, les auteurs réalistes montrent peu de traits communs, il leur arrive d'ailleurs souvent de débattre de leurs divergences. Ainsi, dans une lettre écrite au romancier russe Ivan Tourgueniev en novembre 1877, Flaubert s'agace du réalisme exacerbé de Zola : « La réalité, selon moi, ne doit être qu'un tremplin. Nos amis sont persuadés qu'à elle seule elle constitue tout l'État ! Ce matérialisme m'indigne, et, presque tous les lundis, j'ai un accès d'irritation en lisant les feuilletons de ce brave Zola. » De la même manière, Maupassant critique le dramaturge Henri Monnier en ces termes : « Henri Monnier n'est pas plus vrai que Racine. » Duranty, lui, reproche à *Madame Bovary* de manquer de sentiment dans un article de la revue *Réalisme* : « Trop d'étude ne remplace pas la spontanéité qui vient du sentiment. »

Malgré ces désaccords dans le niveau de réalisme à employer dans leurs œuvres, les auteurs se rejoignent dans leur volonté de donner à la littérature une dimension plus scientifique, et d'en faire le lieu d'étude privilégié de l'homme et de son environnement.

DANS LA MÊME COLLECTION
(par ordre alphabétique)

- **Chateaubriand**, *Atala*
- **Chateaubriand**, *René*
- **Chrétien de Troyes**, *Perceval*
- **Cocteau**, *Les Enfants terribles*
- **Colette**, *Le Blé en herbe*
- **Corneille**, *Le Cid*
- **Crébillon fils**, *Les Égarements du cœur et de l'esprit*
- **Defoe**, *Robinson Crusoé*
- **Dickens**, *Oliver Twist*
- **Du Bellay**, *Les Regrets*
- **Dumas**, *Henri III et sa cour*
- **Duras**, *L'Amant*
- **Duras**, *La Pluie d'été*
- **Duras**, *Un barrage contre le Pacifique*
- **Flaubert**, *Bouvard et Pécuchet*
- **Flaubert**, *L'Éducation sentimentale*
- **Flaubert**, *Madame Bovary*
- **Flaubert**, *Salammbô*
- **Gary**, *La Vie devant soi*
- **Giraudoux**, *Électre*
- **Giraudoux**, *La Guerre de Troie n'aura pas lieu*
- **Gogol**, *Le Mariage*
- **Homère**, *L'Odyssée*
- **Hugo**, *Hernani*
- **Hugo**, *Les Misérables*
- **Hugo**, *Notre-Dame de Paris*
- **Huxley**, *Le Meilleur des mondes*
- **Jaccottet**, *À la lumière d'hiver*
- **James**, *Une vie à Londres*
- **Jarry**, *Ubu roi*
- **Kafka**, *La Métamorphose*
- **Kerouac**, *Sur la route*
- **Kessel**, *Le Lion*

- **La Fayette**, *La Princesse de Clèves*
- **Le Clézio**, *Mondo et autres histoires*
- **Levi**, *Si c'est un homme*
- **London**, *Croc-Blanc*
- **London**, *L'Appel de la forêt*
- **Maupassant**, *Boule de suif*
- **Maupassant**, *La Maison Tellier*
- **Maupassant**, *Le Horla*
- **Maupassant**, *Une vie*
- **Molière**, *Amphitryon*
- **Molière**, *Dom Juan*
- **Molière**, *L'Avare*
- **Molière**, *Le Malade imaginaire*
- **Molière**, *Le Tartuffe*
- **Molière**, *Les Fourberies de Scapin*
- **Musset**, *Les Caprices de Marianne*
- **Musset**, *Lorenzaccio*
- **Musset**, *On ne badine pas avec l'amour*
- **Perec**, *La Disparition*
- **Perec**, *Les Choses*
- **Perrault**, *Contes*
- **Prévert**, *Paroles*
- **Prévost**, *Manon Lescaut*
- **Proust**, *À l'ombre des jeunes filles en fleurs*
- **Proust**, *Albertine disparue*
- **Proust**, *Du côté de chez Swann*
- **Proust**, *Le Côté de Guermantes*
- **Proust**, *Le Temps retrouvé*
- **Proust**, *Sodome et Gomorrhe*
- **Proust**, *Un amour de Swann*
- **Queneau**, *Exercices de style*
- **Quignard**, *Tous les matins du monde*
- **Rabelais**, *Gargantua*

- **Rabelais**, *Pantagruel*
- **Racine**, *Andromaque*
- **Racine**, *Bérénice*
- **Racine**, *Britannicus*
- **Racine**, *Phèdre*
- **Renard**, *Poil de carotte*
- **Rimbaud**, *Une saison en enfer*
- **Sagan**, *Bonjour tristesse*
- **Saint-Exupéry**, *Le Petit Prince*
- **Sarraute**, *Enfance*
- **Sarraute**, *Tropismes*
- **Sartre**, *Huis clos*
- **Sartre**, *La Nausée*
- **Senghor**, *La Belle histoire de Leuk-le-lièvre*
- **Shakespeare**, *Roméo et Juliette*
- **Steinbeck**, *Les Raisins de la colère*
- **Stendhal**, *La Chartreuse de Parme*
- **Stendhal**, *Le Rouge et le Noir*
- **Verlaine**, *Romances sans paroles*
- **Verne**, *Une ville flottante*
- **Verne**, *Voyage au centre de la Terre*
- **Vian**, *J'irai cracher sur vos tombes*
- **Vian**, *L'Arrache-cœur*
- **Vian**, *L'Écume des jours*
- **Voltaire**, *Candide*
- **Voltaire**, *Micromégas*
- **Zola**, *Au Bonheur des Dames*
- **Zola**, *Germinal*
- **Zola**, *L'Argent*
- **Zola**, *L'Assommoir*
- **Zola**, *La Bête humaine*
- **Zola**, *Nana*
- **Zola**, *Pot-Bouille*